Melangell

Eiry Palfrey

Lluniau: Graham Howells

G

Argraffiad cyntaf – 2006

ISBN 1 84323 755 5
ISBN-13 1843237556

Stori: Eiry Palfrey
Lluniau: Graham Howells

Cyhoeddwyd drwy ganiatâd
Awdurdod Cymwysterau Cwricwlwm ac Asesu Cymru.

Argraffwyd gan
Wasg Gomer, Llandysul, Ceredigion, Cymru SA44 4JL

'Mae gen i ffrind newydd' meddai Cadi Cwningen wrth Solomon Sgwarnog yn gyffro i gyd. 'Melangell. Merch yw hi.'

'Merch? Meddai Solomon Sgwarnog yn syn. 'Fel . . . ym . . . *person* wyt ti'n ei feddwl? Bydd yn ofalus Cadi,' meddai, 'mae *pobol* yn bethau cas a chreulon iawn!'

'Ond mae Melangell yn garedig ac yn annwyl,' meddai Cadi. 'Dere i gwrdd â hi.'

'Plîs ga i ddod hefyd?' gwichiodd Llew Llygoden.

'A fi,' meddai Dili Draenog.

'Cewch wrth gwrs,' meddai Cadi. 'Mae Melangell yn hoffi anifeiliaid. Dewch!'

I ffwrdd â Cadi a Llew a Dili ar garlam i Goed Pennant, ond aros yn ôl a wnaeth Solomon. Roedd e'n genfigennus o ffrind newydd Cadi. Eto i gyd, roedd e am ei gweld hi.

Felly pan oedd ei ffrindiau bron o'r golwg fe redodd Solomon yn ddistaw ac yn chwim ar eu holau.

Mewn llannerch heulog yng nghanol Coed Pennant, yng nghysgod mynyddoedd y Berwyn, eisteddai merch ar foncyff coeden. Dyma'r ferch berta a welodd Llew a Dili erioed!

'Mae hi'n siarad â rhywun,' sibrydodd Dili.

'Siarad â Duw mwy na thebyg,' meddai Cadi'n wybodus.

'Alla i mo'i weld E,' gwichiodd Llew.

'Does neb yn gallu gweld Duw,' eglurodd Cadi. 'Ond mae Melangell yn gwybod ei fod yno'.

Yn sydyn fe welodd Melangell y tri anifail bach yn edrych yn swil arni hi.

'Cadi!' meddai'n hapus. 'Diolch am ddod i ngweld i eto – a phwy sy gyda ti?'

'Dyma fy ffrindiau – Llew a Dili,' meddai Cadi.

'Helô ffrindiau bach!! Ond pwy tybed yw'r ffrind bach arall sy'n cuddio y tu ôl i'r goeden?'

Trodd Cadi a gweld Solomon yn sbecian arnyn nhw.

'O, Solomon Sgwarnog yw hwnna,' meddai Cadi. 'Dyw e ddim yn hoffi pobol.'

Pan glywodd Solomon hyn fe redodd i ffwrdd nerth ei draed, yn flin iawn fod Melangell wedi ei weld e.

Mewn castell mawr cyfagos roedd tywysog o'r enw Brochwel yn byw. Un dydd roedd Brochwel yn paratoi i fynd i hela. Canodd yn uchel ar ei gorn hela ac i ffwrdd â'r helwyr a'r cŵn ar garlam tua Choed Pennant.

Roedd Solomon yn chwarae mig gyda Cadi gan redeg i'r goedwig i guddio. Yn sydyn, fe glywodd e sŵn cyfarth cas a dyma ddau gi hela mawr, ffyrnig yn rhuthro tuag ato.

Cafodd Solomon fraw anferthol. Rhedodd am ei fywyd yn ddyfnach ac yn ddyfnach i'r goedwig. Dilynodd y cŵn gan ddod yn nes ac yn nes. Teimlai Solomon eu hanadl poeth yn llosgi ei war.

Roedd Solomon ar fin syrthio gan flinder a'r cŵn bron â'i larpio, pan gyrhaeddodd y llannerch heulog lle roedd Melangell yn eistedd.

Neidiodd Solomon i gôl Melangell yn crynu gan ofn.

'Solomon bach!' meddai hi. 'Beth sy? Pam wyt ti'n crynu fel hyn?'

Ruthrodd y cŵn hela i'r llannerch dan gyfarth yn ffyrnig. Edrychodd Melangell i fyw eu llygaid ac fe rewodd y ddau gi fel delwau yn y fan a'r lle.

Anwylodd Melangell Solomon a'i fwytho'n dyner. Cuddodd e'n grynedig yn ei llawes fawr.

Yna carlamodd Brochwel i'r llannerch ar gefn ei geffyl.

'Welais di sgwarnog yn rhedeg drwy'r coed 'ma?' gofynnodd.

Ddywedodd Melangell ddim un gair.

Gwthiodd Solomon flaen ei drwyn allan o dan lawes Melangell – a dyma Brochwel yn ei weld. Gwaeddodd ar ei gŵn. 'Dyna fe'r sgwarnog! Ar ei ôl e gŵn!' Ond fedrai'r cŵn ddim symud. Roedden nhw wedi'u rhewi i'r fan.

‘Solomon yw hwn,’ meddai Melangell, ‘fy ffrind bach i. Chewch chi ddim gwneud niwed iddo fe’.

Daeth Brochwel i lawr o’i geffyl. ‘Fi biau’r goedwig yma,’ meddai. ‘Does gyda ti ddim hawl i fod yma. Pwy wyt ti?’

'Melangell ydw i. Dw i ddim yn gwneud niwed yn eich coedwig chi, dim ond gweddïo a siarad gyda fy ŵyn bach i. Pam ydych chi'n eu hela nhw? Wnaethon nhw ddim drwg i chi erioed. Rhag eich cywilydd chi!'

Roedd yn flin gan Brochwel ei fod wedi digio'r wraig garedig hon. 'Mae'n ddrwg gen i,' meddai. 'Rwyt ti'n iawn – wna i ddim hela yng Nghoed Pennant byth eto, ac fe gei di aros yn y llannerch heulog. Chaiff neb ddod yma i hela byth eto!'

Gwenodd Melangell. Dadrewodd y cŵn hela a rhedodd y ddau i ffwrdd â'u cynffon rhwng eu coesau.

Heddiw mae 'na eglwys yn y llannerch heulog honno. Enw'r eglwys yw Pennant Melangell ac mae pobl yr ardal yn dal i alw ysgyfarnogod yn 'Ŵyn bach Melangell.'

HANDSHADOWS FOR KIDS

SD Books Ltd 2019

Bear

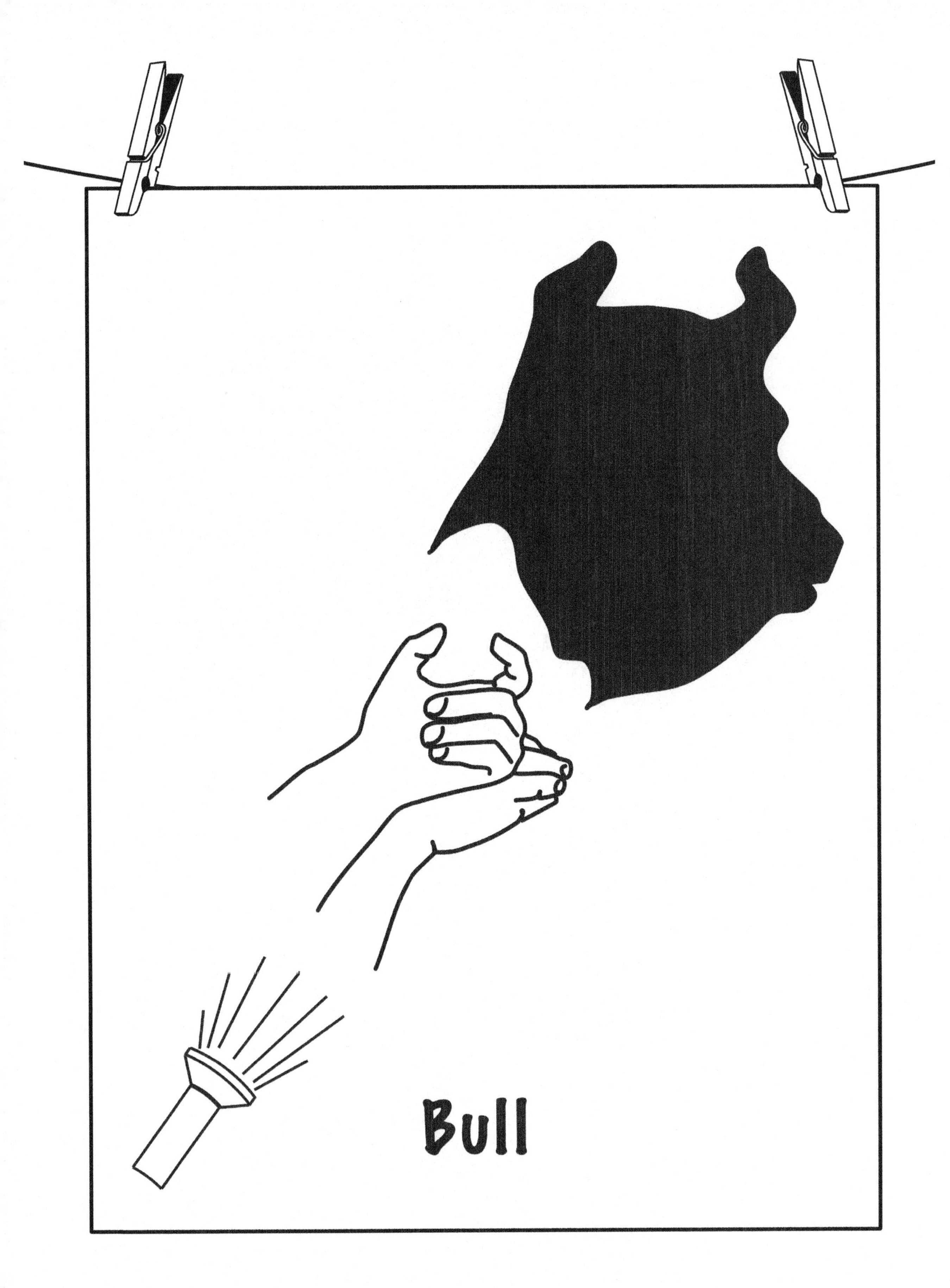
Bull

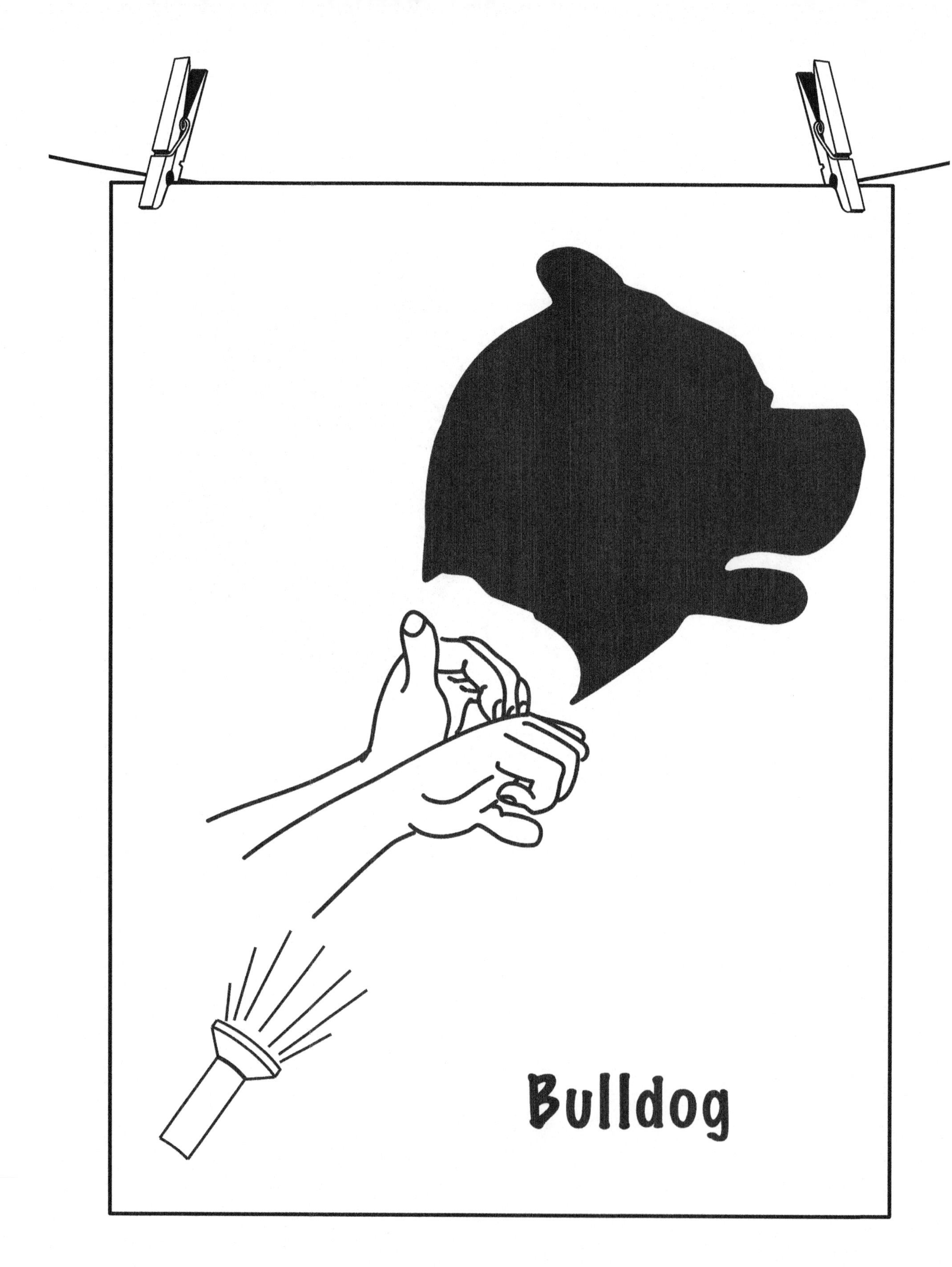
Bulldog

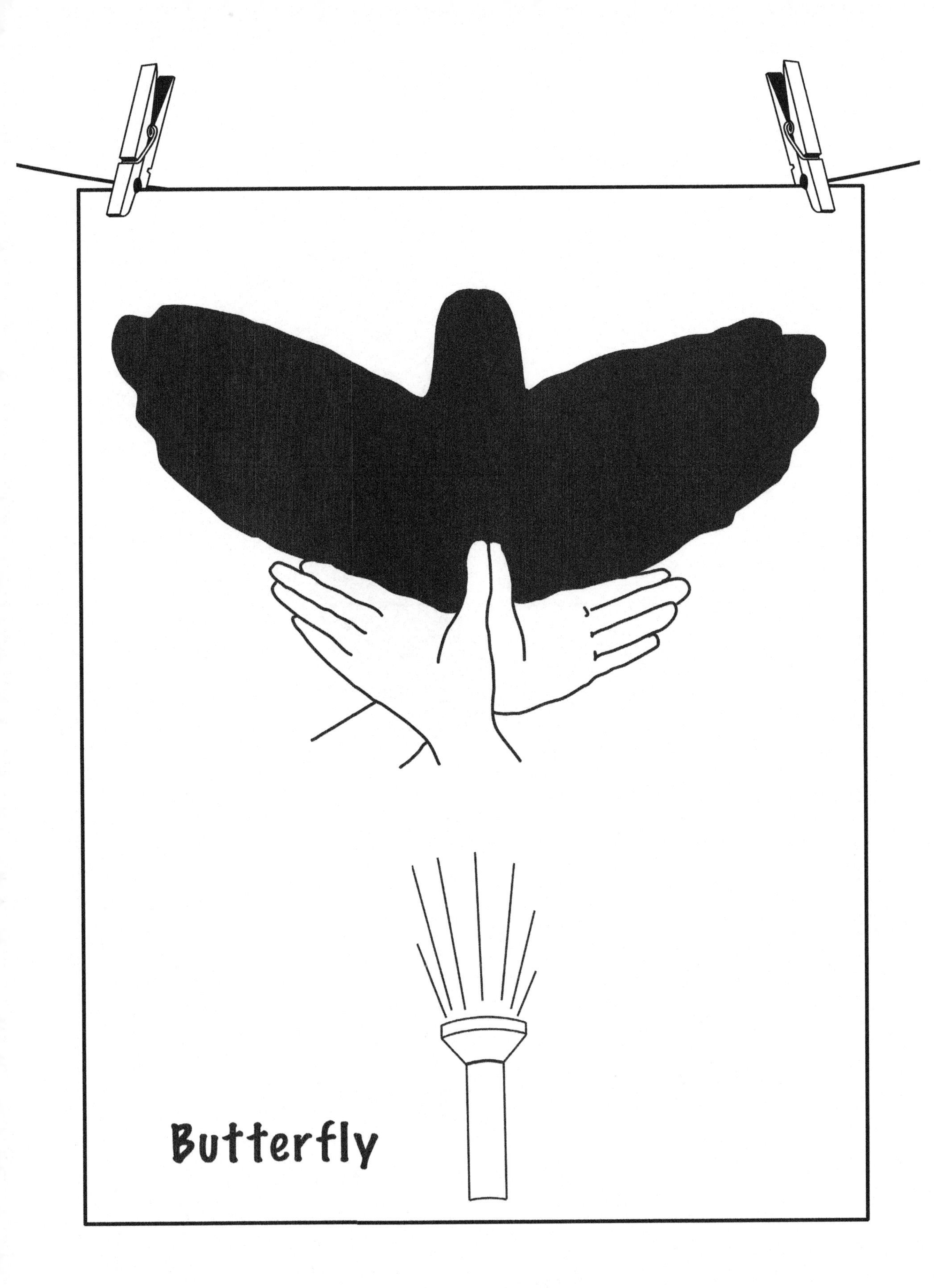
Butterfly

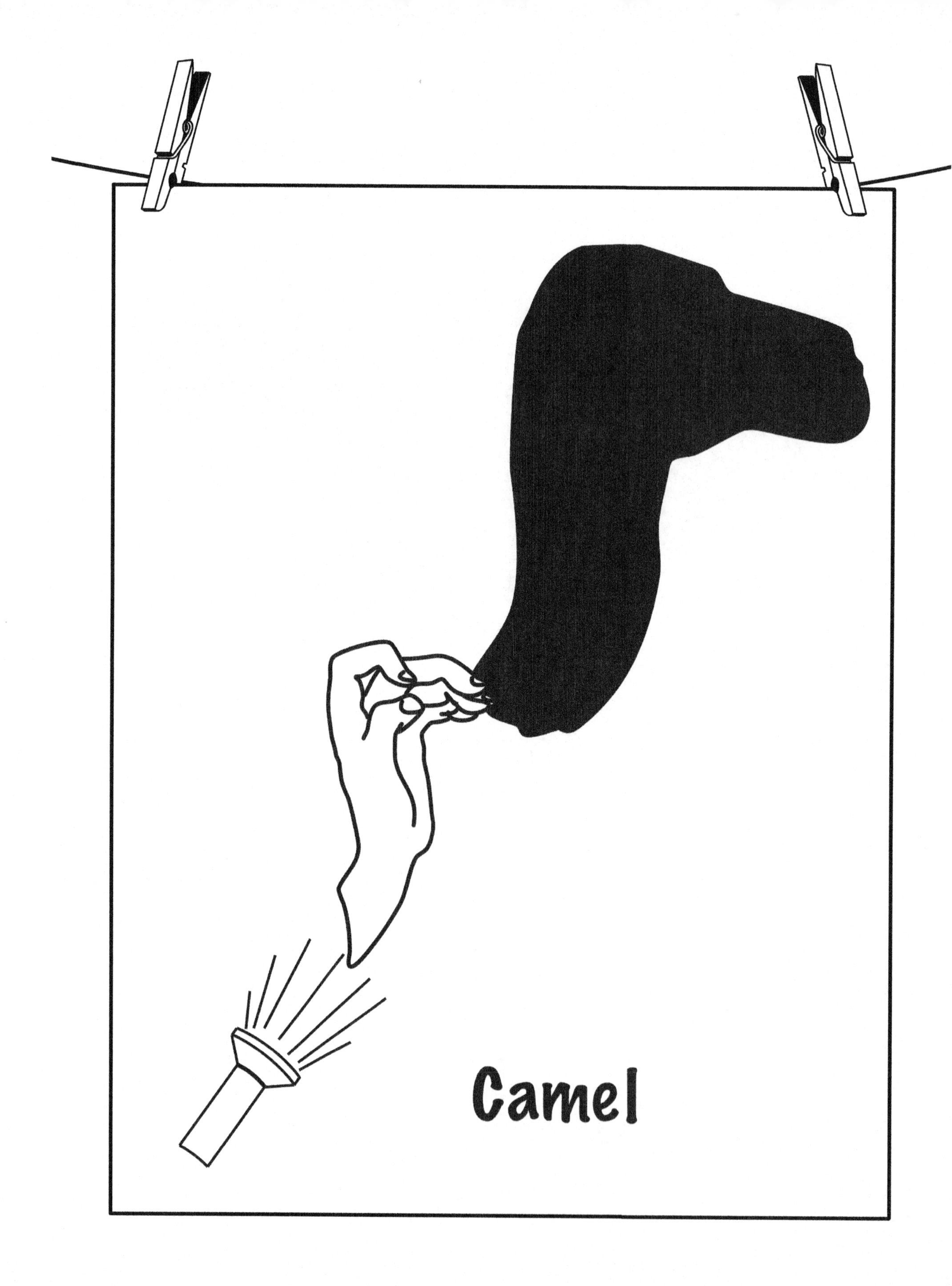
Camel

Camel 2

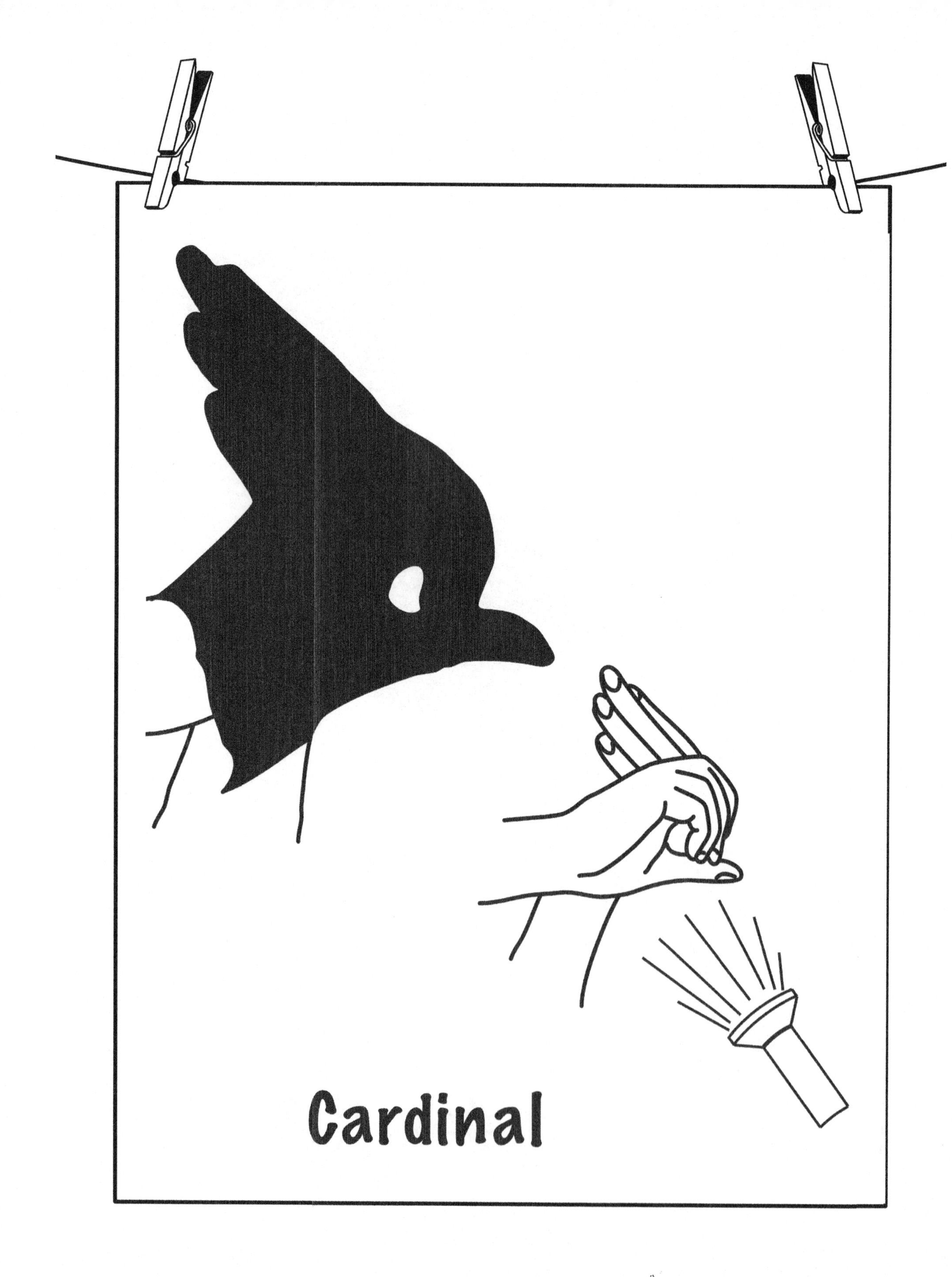
Cardinal

Chamois

Dog

Dog 2

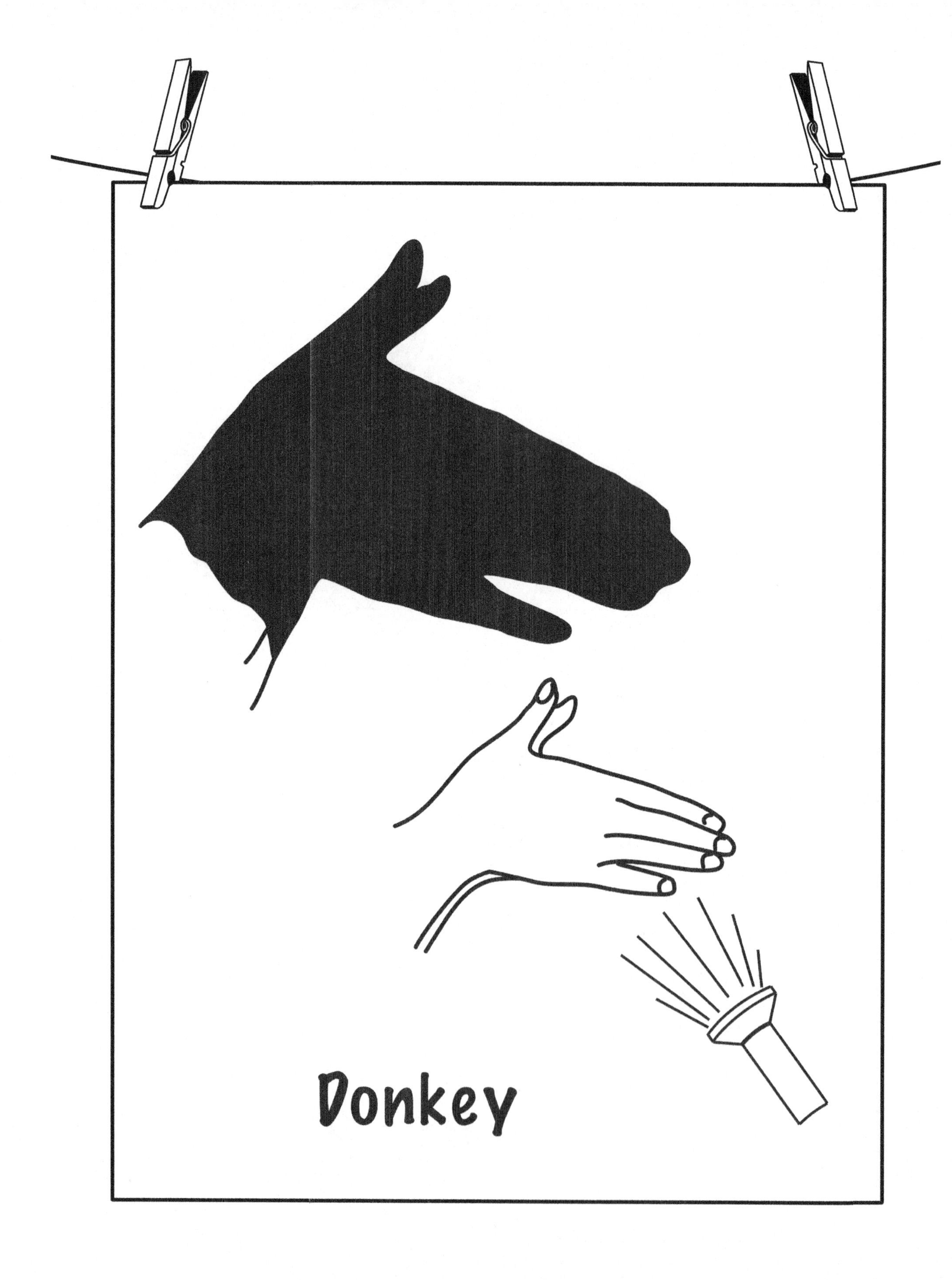
Donkey

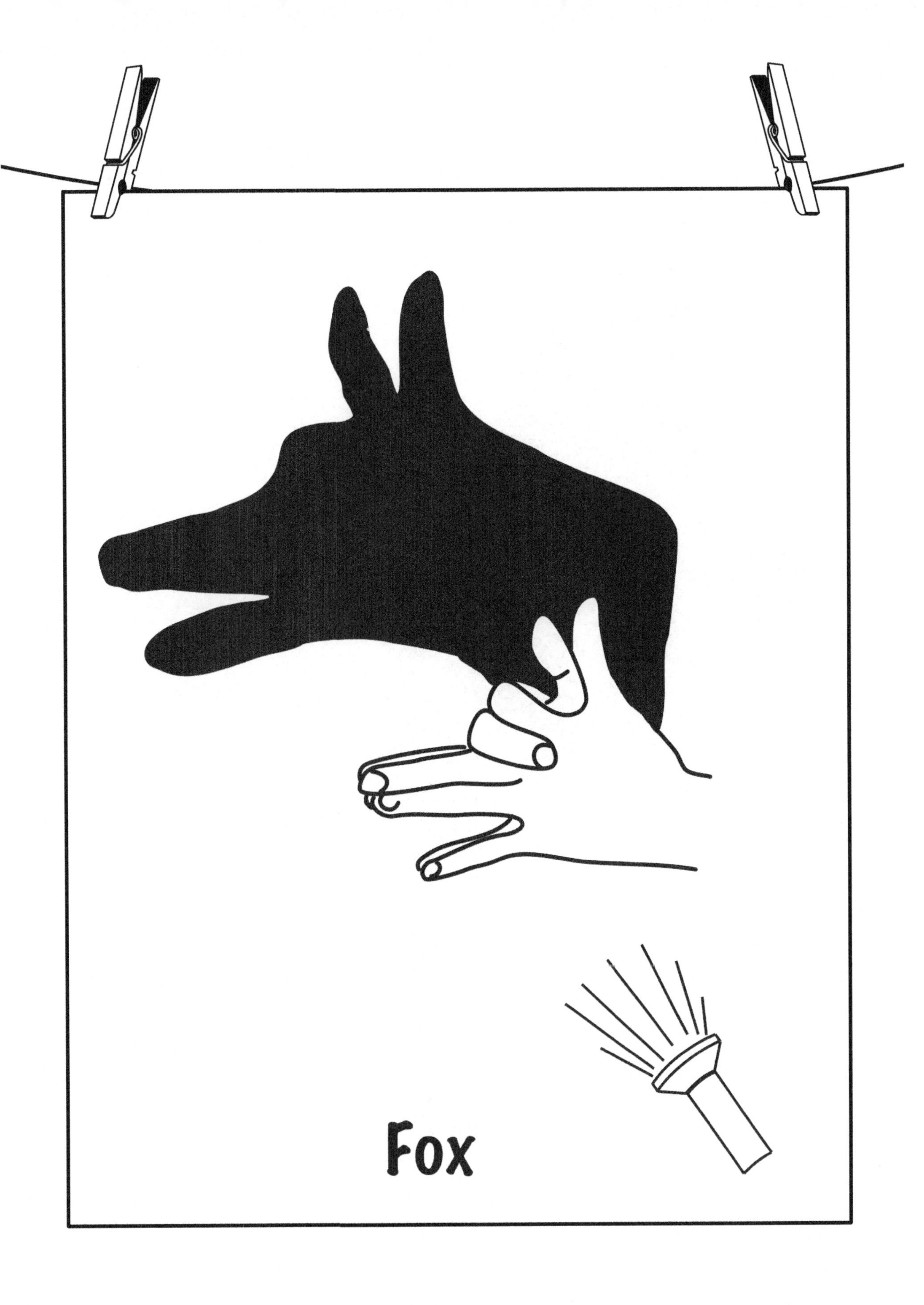
Fox

Goat

Goose

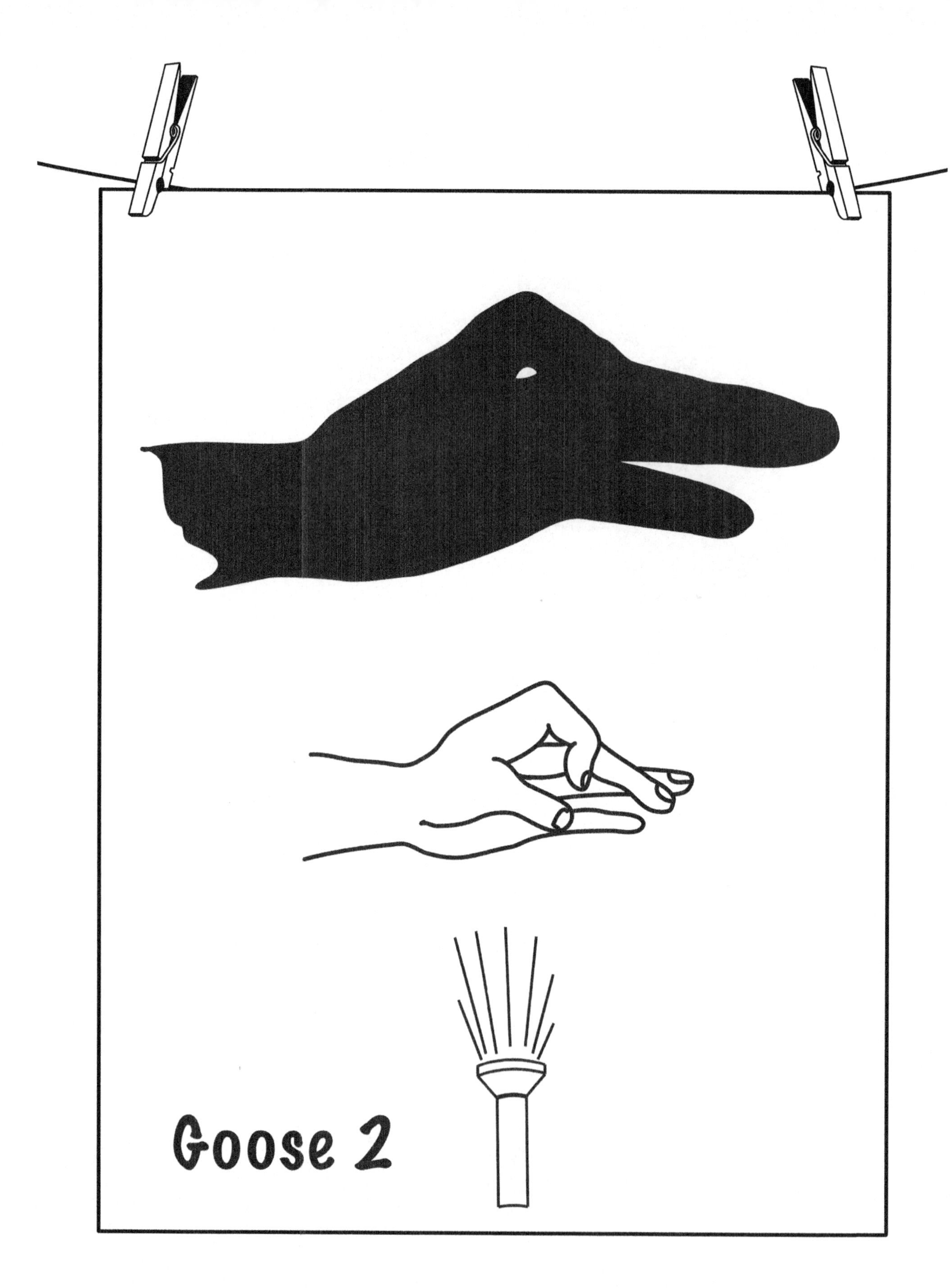
Goose 2

Growling Wolf

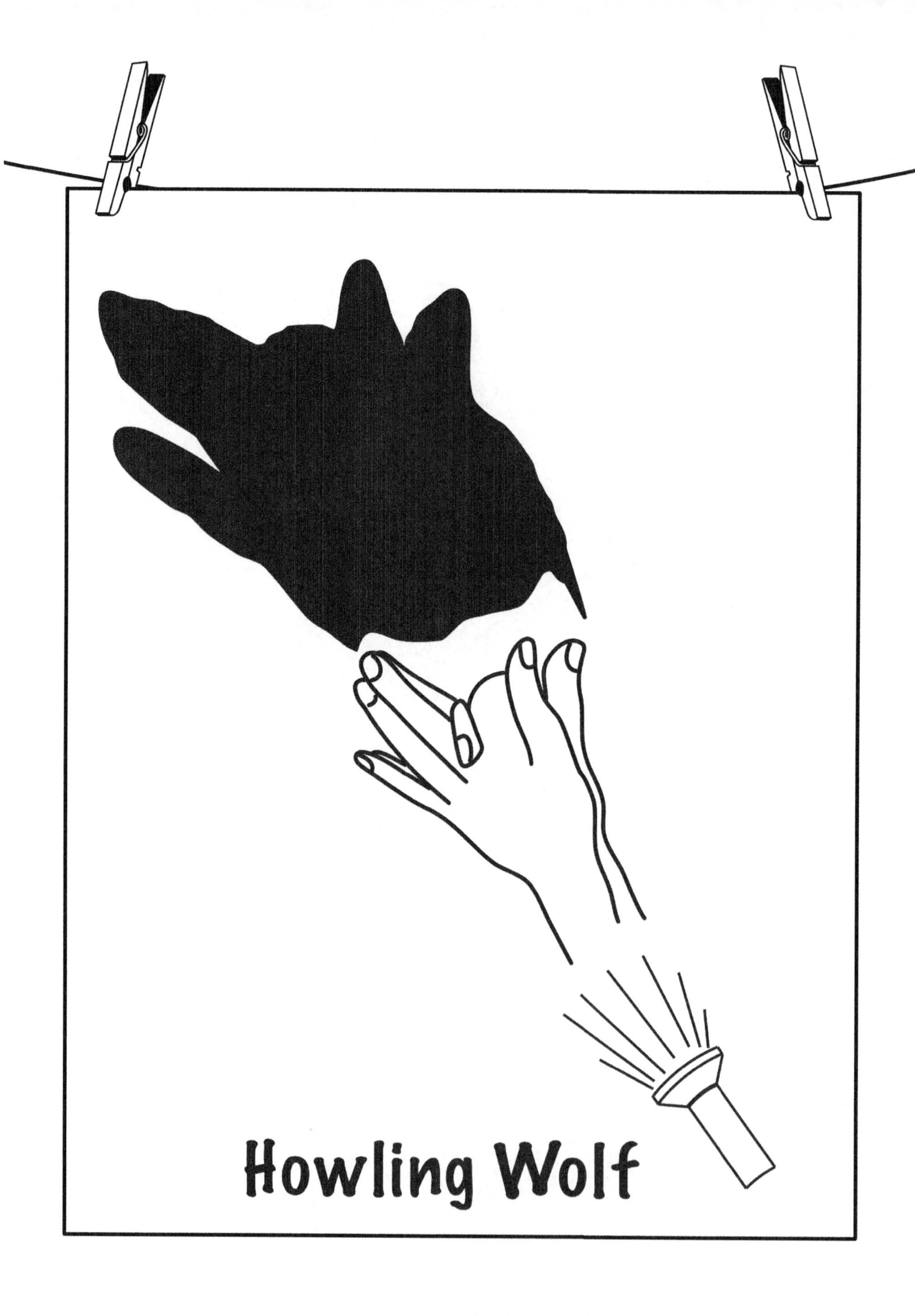
Howling Wolf

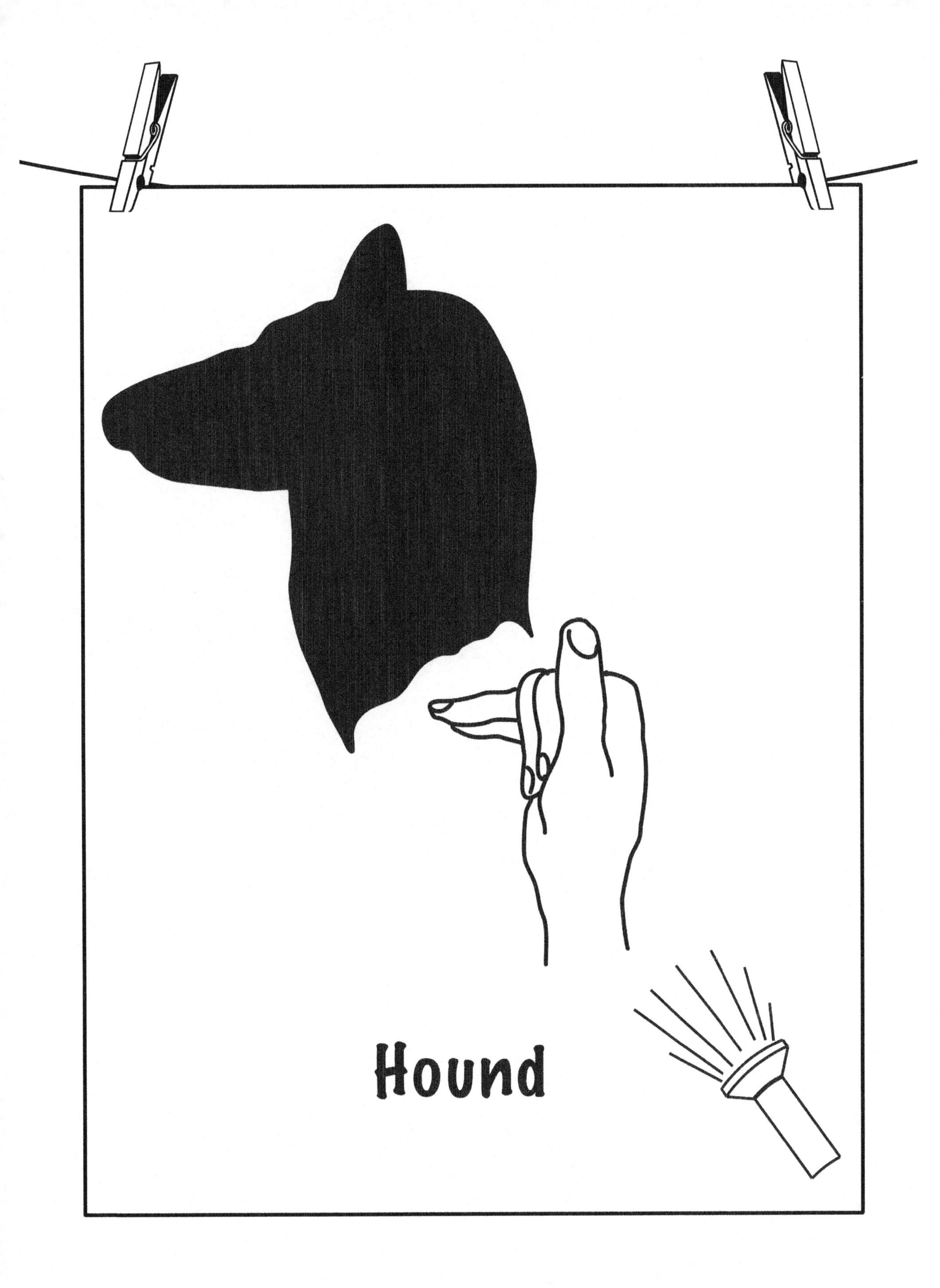
Hound

American Indan

Kangaroo

Man with
a pipe

Man's Face

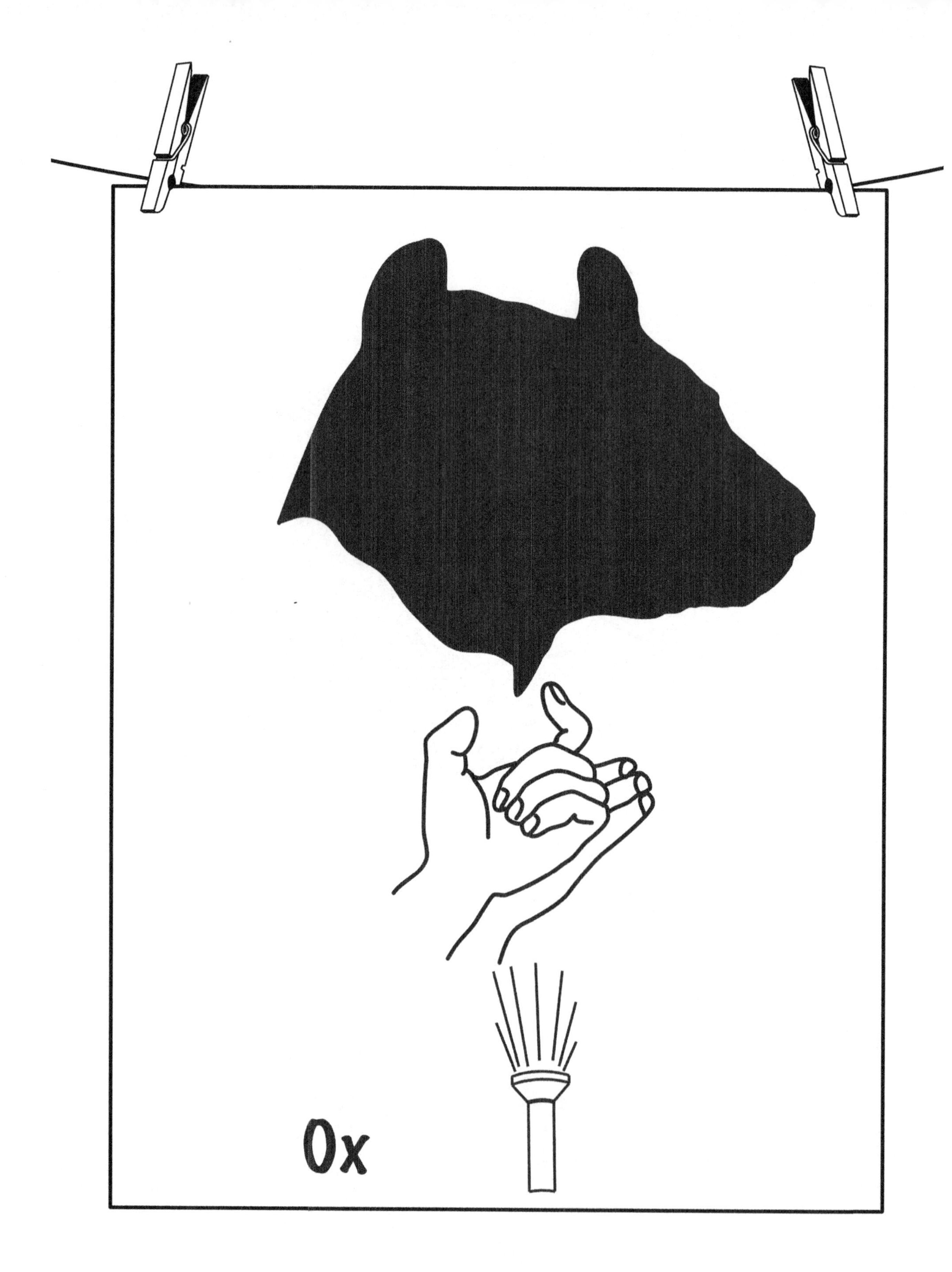
Ox

Panther

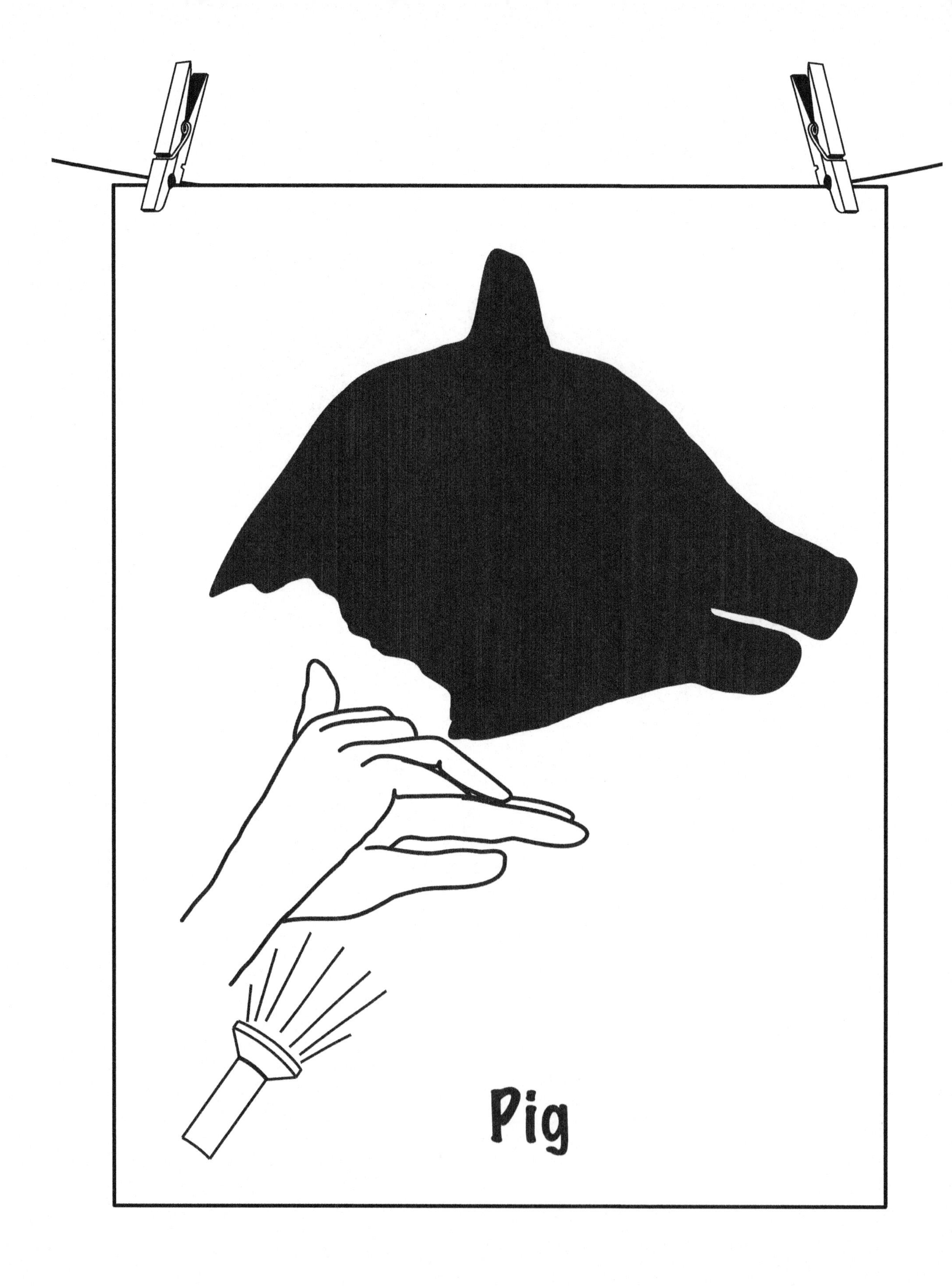
Pig

Rabbit

Reindeer

Snail

Spider

Turkey

Printed in Great Britain
by Amazon